卖火柴的小女孩
Maihuochaidexiaonuhai

圣诞节前夕，天气寒冷，有位失去母亲的小女孩，为了养活生病的爸爸，冒着风雪去卖火柴。

3

"火柴，谁要火柴？"小女孩沿街叫卖，可是没有一个人答理她。人们都在高高兴兴地准备圣诞礼物。

卖火柴的小女孩

儿童成长乐园

目 录

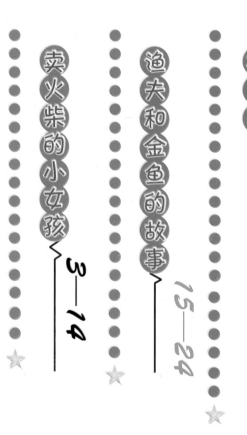
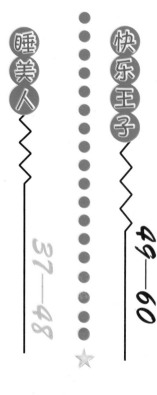

已经中午了，她一根火柴也没卖掉。她又
饿又冷地向前走，雪花落在金黄的长发上。

突然，一辆马车飞驰而过，把小女孩的拖鞋弄丢了，她只好赤着脚，在雪地里喊着："火柴，谁要火柴？"

夜幕已经降临，小女孩的脚冻得发红发紫。她实在走不动了，疲惫地缩在一个墙角里。

小女孩冻得发抖，她决定划着一根火柴。"哧！"火柴燃烧了，小女孩觉得像坐在火炉旁一样温暖。

火炉突然不见了，小女孩手中只有烧过的火柴梗。她又划了一根火柴，在火光中她看见一只烤鹅朝她走过来。

9

小女孩伸出手去抓烤鹅，
摸到的却是冰冷的墙壁，火柴
又熄灭了。她又划了一根火柴。

小女孩发现自己坐在一棵美丽的圣诞树下，树枝上有几千只蜡烛。小女孩把双手伸过去，火柴又熄灭了。

11

小女孩又划了一根火柴。啊，火光中出现了她日夜思念的奶奶，她扑进奶奶的怀抱。

小女孩把剩下的火柴全划着了，因为她想把奶奶留住。火柴发出强烈的光芒，奶奶抱着小女孩在光明和幸福中飞走了。

新年的早晨，人们看到小女孩仍坐在墙角，手里握着一把烧过的火柴梗。她双颊通红，脸上带着幸福的微笑。

Y 渔夫和金鱼的故事
Yufuhejinyudegushi

cóng qián，dà hǎi biān zhù zhe yí
从前，大海边住着一
duì pín qióng de lǎo fū fù。 lǎo tóu
对贫穷的老夫妇。老头
er měi tiān chū qù dǎ yú， lǎo tài
儿每天出去打鱼，老太
pó zài jiā li fǎng shā jié xiàn。
婆在家里纺纱结线。

有一天，老渔夫从海里网上来一条又红又亮的金鱼，金鱼说："老爹爹，请你把我放回大海，我会报答你的。"

16

老头儿一听，就把金鱼放了。
老头儿回家后把这件事告诉了
老太婆，老太婆骂道："你这
个傻瓜，就向他要一座木房
也好啊！"

老头儿只好回到大海
边，金鱼很快游了过来，对
他说："别难过，你们马上会
有新木房子的。"

老头儿走到家门口，发现眼前是一座明亮的有阁楼的大木屋。老太婆坐在窗前，对他大骂道："快滚回去，我要做个贵妇人。"

老头儿又来到海边，把老太婆的要求告诉了金鱼，金鱼说："上帝会保佑你的。"老头儿回到家，看见老太婆一身珠光宝气。

过了些日子，老太婆又逼着老头儿去找金鱼，说："我不想再做贵妇人，我要当女皇。"

老头儿只好再一次来
到海边，金鱼说："别难过，
老太婆会变成女皇的。"老
头儿回到家，只见眼前是一
座富丽堂皇的宫殿。

不久，老太婆又逼着老
头儿到海边，告诉金鱼说
她想当海上女霸王，并且只
要金鱼服侍她。老头儿
好再一次来到海边。

23

金鱼听完老头儿的话，一声不吭地游进了深深的大海。老头儿回家一看，好奇怪，老太婆苦着脸坐在那间破得不能再破的木屋前。

24

D打火匣
ahuoxia

gōng lù shang yǒu yí gè shì bīng zài xíng
公路上有一个士兵在行
zǒu　tū rán tā kàn jiàn yí gè dǎ huǒ xiá tǎng
走，突然他看见一个打火匣躺
zài dì shang　　shì bīng zǒu guò qù　jiǎn qǐ dǎ
在地上。士兵走过去，捡起打
huǒ xiá fàng zài kǒu dai li
火匣放在口袋里。

25

shì bīng qióng de lián
士 兵 穷 得 连
gēn là zhú yě mǎi bu qǐ
根 蜡 烛 也 买 不 起，
yǒu yì tiān wǎn shang tiān hěn
有 一 天 晚 上 天 很
hēi tā hū rán jì qǐ zì
黑，他 忽 然 记 起 自
jǐ hái yǒu yì gēn là zhú
己 还 有 一 根 蜡 烛
tou zhuāng zài nà ge jiǎn lái
头 装 在 那 个 捡 来
de dǎ huǒ xiá lǐ
的 打 火 匣 里。

士兵在火石上擦了一下，忽然一只大狗出现在他面前说："我的主人，有什么吩咐？"

27

"这真是一个滑稽的打火匣，替我弄些钱来吧！"士兵对狗儿说。"嗖"的一声，狗儿就不见了。

过了一会儿，狗儿嘴里衔着一大袋的钱回来了。现在士兵才知道这个不起眼的打火匣是多么珍贵。

29

yǒu yí cì shì bīng xiǎng rén men dōu
有一次，士兵想：人们都
shuō gōng zhǔ hěn měi wǒ zhēn xiǎng jiàn tā
说公主很美，我真想见她！
yú shì tā ná chū dǎ huǒ xiá cā le yí xià
于是他拿出打火匣擦了一下，
dà gǒu lì jí chū xiàn zài tā miàn qián
大狗立即出现在他面前。

30

gǒu er yī huì er jiù bēi zhe gōng zhǔ
狗儿一会儿就背着公主
huí lái le   tā tǎng zài gǒu de bèi shang yǐ
回来了。她躺在狗的背上，已
jīng shuì zháo le   bīng shì kàn le měi lì de
经睡着了。兵士看了美丽的
gōng zhǔ   rěn bu zhù wěn le tā yí xià
公主，忍不住吻了她一下。

31

天亮后，公主告诉国王
和王后，说她在晚上梦见
一只狗和一个士兵，她自
己躺在狗身上，那个士兵
吻了她一下。

王后在一个小布袋上剪了个小孔，然后装满荞麦粉系在公主的背上。这样，公主走过的路上都会撒上细粉。

33

深夜，狗儿又来了。它把公主背到背上，带着她跑到士兵那儿去。狗儿完全不知道面粉已经一路撒到了士兵的屋子。

34

第二天，国王和王后沿着面粉找到了士兵，他们见士兵既英俊又有风度，就同意公主嫁给他。

35

士兵和公主的结婚典礼举行了足足八天，那只大狗也雄赳赳地坐在婚车上，向街上看热闹的人们招手。

睡美人
Shuimeiren

从前，有一个国王和王后结婚很久后才生了一位公主，国王非常高兴。他邀请了全国的仙女来参加庆祝宴会。

宴会当天，十二位仙女都打扮得十分漂亮，带着她们对公主的祝福来参加盛宴。

突然，巫婆出现了："我诅咒公主
十五岁时，会被纺织针扎中而死。""公
主只是昏睡一百年。"第十二位仙女说。

rì zi yì tiān tiān guò qù
日子一天天过去，
gōng zhǔ jiàn jiàn de zhǎng dà zhuǎn yǎn
公主渐渐地长大，转眼
jiù dào le shí wǔ suì gōng zhǔ
就到了十五岁。公主
zhǎng de jì měi lì yòu wēn róu
长得既美丽又温柔。

在公主十五岁生日那天，国王和王后刚好都有事出去了，就留下公主一个人单独在城里走来走去……

公主走进了古塔里，看见有位老婆婆在织着线。她觉得很好奇，不知不觉地伸出手来，她立即被纺织针扎伤了指头！

霎时，公主就昏沉沉地倒在地上睡着了，同时
城堡里所有的东西也都不可思议睡着了……

这件奇怪的事传到了邻近的许多国家，大家都知道，城堡中沉睡着一位漂亮的公主，大家都称她为"睡美人"。

44

一天，一位王子出现在城堡外，他勇敢地跨过荆棘进入城堡，那天刚好是公主沉睡满一百年的日子。

奇妙的事发生了，城堡雕像慢慢活了过来，小鸟开始在枝头歌唱，蝴蝶围着鲜艳的花朵飞来飞去……

王子望着沉睡中的公主，忍不住亲了她一下。就在那时，公主竟睁开了她水汪汪的大眼睛，目不转睛地注视着王子

不久，国王为
睡美人和王子举办
了一场很盛大的结
婚典礼。王子与睡
美人从此过着幸福
快乐的日子。

K 快乐王子
Kuailewangzi

快乐王子的雕像浑身镶满了薄薄的黄金叶片，明亮的蓝宝石做成他的双眼。人们看后都对他称羡不已。

有天夜里，一只小鸟从城市上空飞过，看见了快乐王子的雕像。"我就在那儿过夜。"她自言自语道。

一颗大大的水
珠落在小鸟的身上。
她抬头一看，只见快
乐王子的双眼充满
了泪水。

小鸟吃惊地看着快乐王子，"你能把我眼里的蓝宝石拿一颗去救一个生命垂危的穷孩子吗？"雕像用低缓的声音说。

52

小鸟从王子的眼里取下那颗硕大的蓝宝石，用嘴衔着，朝远方飞去。她把宝石放在了孩子的枕头边。

53

然后，小鸟回到快乐王子的身边，告诉他自己做过的一切，和王子亲密地交谈着，不过没多久便睡着了。

第二天，小鸟刚准备飞走，又听到王子说："我看到广场上卖火柴的小女孩又寒冷又饥饿，你能把我的另一颗蓝宝石送给她吗？"

小鸟只好取下了王子的另一只眼珠，飞到小女孩的面前，把宝石悄悄地放在了她的手掌心。

小鸟回到王子身旁。"你现在瞎了，"小鸟说，"我要永远陪着你。"小鸟说完就睡在了王子的脚下。

后来，小鸟在快乐王子的请求下把黄金叶子一片一片地啄了下来，一一送给了穷人，孩子们的脸上泛起了红晕。

天越来越冷，可怜的小鸟冻得浑身发抖，最后跌落在王子的脚下死去了。就在那时，王子铅做的心也裂成了两半。

59

人们看着黯淡无比的快乐王子，不再赞叹。不久，快乐王子的雕像在议员的提议下被推倒了，只留下空空的广场。